IL MISTERO
DELLA TRASFIGURAZIONE

RIFLESSIONE DI PAOLO VI

LIBRERIA EDITRICE VATICANA

NOTA INTRODUTTIVA

DI GIORGIO BASADONNA

La festa della Trasfigurazione di Gesù ripropone al nostro ricordo filiale la figura paterna, severa e premurosa a un tempo, di Paolo VI, che al vespero di questa giornata liturgica lasciava la vita terrena per l'eterna sua trasfigurazione.

Il ricordo di lui non si spegne nella memoria dei credenti che via via sentono riemergere nel proprio spirito quanto il Pastore della Chiesa universale vi ha seminato in lunghi anni di fecondo pontificato. Sono ricordi personali, sono momenti particolarmente significativi, sono parole e inviti accorati, pieni di passione per il Regno di Dio, sono affermazioni da cui trabocca tutta la fede e l'amore di questo limpido Uomo di Dio.

Per tali ragioni, nel secondo anniversario del pio transito del Papa, con ancora nell'animo quel dolce tramonto di Castelgandolfo e quella apoteosi umile e semplice della bara deposta a terra in piazza S. Pietro e ornata soltanto dal Vangelo aperto, vogliamo offrire al ricordo di tutti queste pagine che riportano, assieme a un pensiero sulla fede, una sua omelia sul mistero della Trasfigurazione.

Era la quaresima del 1965, e nella chiesa romana di S. Giuseppe al Trionfale, Paolo VI celebra la messa parrocchiale come abitualmente faceva nelle domeniche di quel tempo liturgico. Il suo commento al Vangelo, sgorgato dal cuore attento alla parola scritta di Dio e al mistero vivo e palpitante del popolo cristiano, puntualizza il senso e il valore della Trasfigurazione di Gesù che la liturgia fa meditare appunto nella seconda domenica di quaresima.

"Come è bello stare qui davanti a Te, Signore, e conoscerti!: è quasi un grido che esce dal suo cuore e diventa un invito a tutti gli uomini, spesso tentati dall'altro grido che vorrebbe "annullare e togliere dalla faccia della civiltà moderna" la presenza e il ricordo stesso di Cristo. "Non c'è più posto per Dio né per la religione" in questa società sempre più pagana. Contro questo fenomeno che "talvolta incalza fino alle porte delle nostre chiese e che in tanti Paesi ancora oggi infierisce", i credenti riaffermano con la loro testimonianza viva e coraggiosa che Gesù è unico e nessuno può paragonarsi a lui "per candore, per purità, sapienza, carità, grandezza d'animo, eroismo, per capacità di arrivare ai cuori, per potenza sulle cose".

Così, il ricordo di Palo VI torna a essere un invito persuasivo, quasi una forma arcana che conduce alla trasfigurazione personale, alla conversione, alla decisione rinnovata di una vita fondata sulla parola di Gesù e affidata pienamente al suo amore, alla urgenza di una risposta generosa e coraggiosa alla propria vocazione cristiana.

Il suo ricordo diventa "una voce che merita di essere ascoltata" quella voce che per tanti anni ne ha trasmesso un'altra, non sua, la voce stessa di Dio, diventa insegnamento di chi si mette in umile atteggiamento di "discepolo prima che di maestro".

Così si esprimeva nel suo ultimo incontro con i pellegrini a Castelgandolfo, il mercoledì 2 Agosto, pochi giorni prima di interrompere il suo servizio ed entrare nella luce perpetua.

È questa voce che dà sicurezza a una mentalità generale così pervasa da incertezze, da problematiche insolute, e da superficialità: è la parola certa che la Chiesa insegna derivandola dal "pensiero trascendente di Dio". Questa è la forza della Chiesa, questa è la luce che promana ancora dalla figura di Paolo VI, dalla sua parola che ritorna come incoraggiamento a fare di Gesù il centro di tutta la vita: "non possiamo fare a meno di Lui. È la nostra fortuna, la nostra gioia e felicità, promessa e speranza, la nostra via verità e vita".

La memoria di Paolo VI che queste pagine vogliono nutrire, richiama dolcemente e insistentemente alle grandi cose di Dio, e lascia trapelare un po' di quella luce e di quella gioia beatificante che ora formano il suo gaudio eterno.

IL MISTERO
DELLA TRASFIGURAZIONE

RIFLESSIONE DI PAOLO VI

COME IL SOLE, COME LA NEVE

Figli del nostro tempo, con i suoi ausilii di progresso visivo e tecnico, possiamo quasi ricostruire, davanti a noi, l'impressionante scena. Il Vangelo è sobrio; ma, soffermandoci sulle circostanze, notiamo subito che si tratta di un avvenimento pieno di interesse e di stupore.

San Marco, il quale, come San Matteo, ci narra la Trasfigurazione, precisa che essa avvenne a soli sei giorni dopo la professione di fede compiuta da Pietro, quando, nella regione di Cesarea di Filippo, alla richiesta del Divino Maestro di manifestare che pensassero di Lui gli Apostoli, rispose, come folgorato da improvvisa illuminazione: Tu sei il Cristo, il Figlio di Dio vivo!

Ed ora Gesù chiama in disparte i tre Discepoli preferiti: Pietro, Giacomo e Giovanni, e con loro sale su di un alto monte. Qualche esegeta pensa che si tratti del monte Hermon, ma la tradizione più diffusa indica il monte Tabor, ove esiste una grande basilica.

Andarono, dunque, per rimanere soli e pregare. Giunti sulla vetta, gli Apostoli, stanchi, si distesero sull'erba. Probabilmente – benché qualcuno lo contesti – era sopravvenuta la notte, e i discepoli presero sonno. Gesù pregava – ciò Egli soleva fare durante le ore di riposo e a lungo – sempre dimostrando di quale personale vita interiore vibrasse il suo Divin Cuore.

Ad un certo momento i tre si svegliano; levano gli occhi e vedono Gesù straordinariamente luminoso come se un fuoco di portento si fosse acceso nella sua Persona; e qui l'Evangelista ha due pennellate mirabili. Il volto di Gesù – scrive – diventa splendente come sole, dai fulgori diretti e le vesti appaiono candide siccome neve; e San Marco tiene a spiegare: nessuno sulla terra saprà mai renderle così bianche.

Lo sguardo dei veggenti si fissa attonito, estatico. Gesù così trasfigurato domina sul monte; ed ecco che ai suoi lati si delineano due figure che intraprendono con il Maestro una misteriosa conversazione. Si tratta – i discepoli non esitano a riconoscerli per segni esterni o parole ascoltate – di Mosè e di Elia.

"È IL MIO FIGLIO DILETTO. ASCOLTATELO"

Per gli ebrei dire Mosè era come accennare a tutta la propria storia, al popolo eletto, alla Legge; scorgere Elia era come ripercorrere tristissimi anni, durante i quali il grande Profeta aveva cercato di rianimare il senso religioso e la tradizione in chi si era lasciato influire dalle dottrine pagane e aveva perduto la nota dominante del proprio costume.

Mosè ed Elia: l'Antico Testamento che converge intorno a Gesù, il salvatore del mondo!

Pietro – come in altre circostanze il più entusiasta ed esuberante (San Marco lo sottolinea) – prorompe in un grido: come è bello rimanere qui, per sempre! E, tutto preso dalla ebbrezza abbagliante aggiunge:

Se vuoi, o Signore, facciamo qua tre capanne: una per Te, una per Mosè, l'altra per Elia: per rimanervi in permanente beatitudine.

Ed ecco che l'intero panorama è avvolto da una nube, pur essa candida. Non è nebbia opaca, ma nimbo di gloria che accresce e pone in risalto la visione. Si avverte una presenza ancora più impressionante: infatti una voce profonda, in cui palpita tutto il Cielo, esclama: Questi è il Figlio mio diletto; ascoltatelo.

I Discepoli, a sentire che l'intero creato esalta quella voce tonante e dolce insieme, si prostrano per terra ed ascondono la faccia senza osare più nemmeno soffermare gli occhi sulla visione. Ad un tratto si sentono toccare: è Gesù, solo, tornato al suo consueto aspetto di sempre. Forse stava albeggiando. La voce del Maestro ordina: Scendiamo, ormai, e nulla direte di quanto avete visto, fino al giorno in cui il Figlio dell'Uomo – l'espressione usata da Gesù per indicare Se stesso – non sarà risuscitato dai morti.

Parole allora incomprensibili per i tre Discepoli: i quali, però, giammai avrebbero dimenticato quel prodigio. San Pietro, molto più tardi, forse trent'anni dopo, lo rievoca quale uno "degli spettacoli della grandezza di Lui", in quella sua seconda Lettera, che sembra proprio scritta da Roma. Ed aggiunge: "Egli (Gesù) infatti ricevette onore e gloria da Dio Padre, essendo discesa a Lui dalla maestosa gloria quella voce: Questi è il mio Figliolo diletto, nel quale mi sono compiaciuto. Ascoltatelo. E questa voce procedente dal Cielo noi la udimmo mentre eravamo con Lui sul monte santo".

La testimonianza per Gesù in questo racconto rimase quasi un testamento e un saluto dell'Apostolo dalla comunità romana.

Ci domandiamo: perché la Chiesa ripropone, nella Liturgia, un quadro così sfavillante della gloria del Signore? Occorre spiegare in che modo quell'evento si innesta nella storia evangelica.

I MOTIVI DELLA RIEVOCAZIONE

Gesù intende dare un saggio di ciò che Egli è: vuole impressionare i suoi Discepoli perché poco prima ha parlato della sua Passione e ne riparlerà anche in seguito. Sono gli ultimi giorni della sua missione in Galilea. Gesù stà per trasferirsi nella Giudea, ove accadrà il grande dramma della fine del Vangelo, della vita temporale del Signore. Gesù sarà crocifisso. E perché i Discepoli, questi tre specialmente, non siano scandalizzati, stupiti, anzi esterefatti dalla fine tristissima del Maestro, ma conservino la fede, Gesù decide di imprimere nelle loro anime la meraviglia testè rievocata.

Ora la Chiesa la ripresenta anche a noi, come per dire: vedrete il Redentore crocifisso, avrete indicibile sgomento per il suo Sangue sparso, per la sua sofferenza, nel contemplarlo come schiacciato dai suoi nemici; e affinché non vi scandalizziate, e non abbiate a tradirlo o a lasciarlo, in quell'ora grande e amara, considerate ora, chi Egli è e quanto può.

In altri termini: questa scena del Vangelo pone dinanzi a noi una questione di grandissima attualità, si direbbe fatta sulla misura delle nostre condizioni spirituali. La domanda è la medesima rivolta da Gesù, sei giorni prima dell'evento sul Tabor, agli Apostoli: Chi dite che sia il Figlio dell'Uomo?

La stessa richiesta ripetiamola anche a noi. Ecco che il Vangelo diventa incalzante e urgente sulle nostre anime: chi pensiamo che sia Gesù? Chi è Gesù in se stesso? La mente corre al Catechismo. Sì, ricordiamo che Gesù è il Figlio di Dio fatto Uomo. Ma sappiamo noi bene che cosa ciò vuol significare?

E inoltre: se Gesù è Dio fatto Uomo, la meraviglia delle meraviglie, chi Egli è per me? che rapporto c'è tra me e Lui? devo occuparmi di Lui? Lo incontro nel cammino della mia vita? È legato al mio destino?

LE COLPE GRAVI DEL LAICISMO NEGATORE

Non basta.

Se io domandassi appunto agli uomini del tempo nostro: chi ritenete che sia Cristo Gesù? Come lo pensate? Ditemi: chi è il Signore? Chi è questo Gesù che noi andiamo predicando da tanti secoli e che riteniamo sia ancora più necessario della nostra stessa vita annunciarlo alle anime? Chi è Gesù?

Alla domanda alcuni, molti, non rispondono, non

sanno che dire. Esiste come una nube – e questa sí è opaca e pesante – di ignoranza che preme su tanti intelletti. Si ha una cognizione vaga del Cristo, non lo si conosce bene; si cerca, anzi, di respingerlo. Al punto che all'offerta del Signore di voler essere, per tutti, guida e maestro, si risponde di non averne bisogno, e si preferisce tenerlo lontano.

Quante volte gli uomini respingono Gesù e non lo vogliono sui loro passi, lo temono più che identificarlo ed amarlo. Non vogliono che il Signore regni su di loro; cercano in ogni modo di allontanarlo. C'è persino chi urla contro Cristo: Via! – è il grido blasfemo – alla Croce! Lo vogliono come annullare e togliere dalla faccia della civiltà moderna; non c'è posto per Iddio, nè per la religione; si affannano a cancellare il suo nome e la sua presenza. Tale è il contenuto di tutto questo laicismo sfrenato che, talvolta, incalza fino alle porte delle nostre chiese e che in tanti Paesi, ancor oggi, infierisce. Non si vuole più l'immagine di Cristo.

Ma il triste fenomeno è degli altri. Noi che abbiamo questo grandissimo e dolcissimo Nome da ripetere a noi stessi; noi che siamo fedeli; noi che crediamo in Cristo; noi sappiamo bene chi è? Sapremo dirgli una parola diretta ed esatta; chiamarlo veramente per nome; chiamarlo Maestro, Pastore; invocarlo quale luce dell'anima e ripetergli: Tu sei il Salvatore? Sentire, cioè che Egli è necessario, e noi non possiamo fare a meno di Lui; è la nostra fortuna, la nostra gioia e felicità, promessa e speranza; la nostra via, verità e vita? Riusciremo a dirlo bene, e completamente?

NATURA UMANA E NATURA DIVINA DI GESÙ

Ecco il senso del racconto evangelico. Bisogna che gli occhi della nostra anima siano rischiarati, abbagliati da tanta luce e che la nostra anima prorompa nella esclamazione di Pietro: Come è bello stare davanti a Te, o Signore, e conoscerti!

Gesù ha due aspetti: quello ordinario, che il Vangelo presenta e la gente del tempo vedeva: un uomo vero. Ma, pur a guardarlo sotto questo aspetto umano, c'è qualche cosa, in Lui, di singolare, unico, caratteristico, dolce, misterioso, al punto che – come riferisce il Vangelo – coloro che hanno visto Gesù hanno dovuto confessare: nessuno è come Lui; nessuno si è espresso mai nella sua maniera. E cioè, anche naturalmente parlando – ed è la testimonianza data da coloro stessi che hanno studiato Gesù cercando di negare ciò che Egli è: il Figlio di Dio fatto Uomo – tutti devono ammettere: è unico, non c'è alcuno, nella storia di questa nostra umanità, che possa veramente paragonarsi a Lui per candore, purità, sapienza, carità, grandezza d'animo, eroismo; per capacità di arrivare ai cuori, per potenza sulle cose.

Ora quanto io vedo con gli occhi, mi dà la definizione completa del Signore? I tre Apostoli sono rimasti a fissare la visione: ed hanno notato la trasparenza: nella persona di Gesù c'è un'altra vita, c'è – ricordiamolo col Catechismo – un'altra natura: oltre quella umana, la natura divina.

Gesù è un tabernacolo in moto: è l'Uomo che porta dentro di Sé l'ampiezza del Cielo; è il Figlio di Dio fatto Uomo, è il miracolo che passa sui sentieri della nostra terra. Gesù è davvero l'Unico, il Buono, il Santo. Se lo avessimo ad incontrare anche noi, se fossimo noi così privilegiati come Pietro, Giacomo e Giovanni!

CRISTO È LA MIA VITA, È IL MIO DESTINO

Orbene, questa fortuna l'avremo. Non sarà sensibile come nella trasfigurazione luminosa, che ha colpito la vista e la mente degli Apostoli; ma la sua realtà sarà largita anche a noi. Occorre saper trasfigurare, mercè lo sguardo della fede, i segni con cui il Signore si presenta a noi; non per alimentare la nostra fantasia profilandoci un mito, un fantasma, un'immaginazione. No: ma per completare la realtà, il mistero, ciò che veramente è.

Ripetiamo, con le parole di Pietro, che Gesù è il Figlio di Dio fatto Uomo: e lasciamo che tali parole si scolpiscano nelle nostre anime, credendo alla realtà ch'esse intendono trasfondere in noi. E tutti sappiano che non si tratta d'un uomo che passa e si spegne: non di cosa esteriore, che poco interessa. Senta ognuno e ripeta: è la mia vita, è il mio destino, è la mia definizione, giacchè anch'io sono cristiano, anch'io sono figlio di Dio. La Rivelazione di Gesù svela a me stesso ciò che io sono. È qui l'inizio della beatitudine, il destino soprannaturale, già ora inaugurato e attivo nel nostro essere.

Accresciamo nei nostri cuori la fede in Gesù Cristo, meditando chi veramente Egli è; e pensiamo che il suo volto splendente è il sole per le nostre anime. Dobbiamo sempre sentirci illuminati da Lui, luce del mondo, nostra salvezza.

QUESTO DISCORSO
RIPRESO DA UNA REGISTRAZIONE RADIOFONICA.
FU PRONUNCIATO DA PAOLO VI IL 14 MARZO 1965.

NELLA FEDE LA PIENEZZA
LA FORTEZZA E LA GIOIA
DELLA VITA CRISTIANA

MANOSCRITTO DI PAOLO VI

Figli e Fratelli carissimi,

Noi pensiamo che un desiderio molto bello vi abbia spinto a questo incontro, una curiosità molto nobile vi abbia suggerito di venire a questa non facile opportunità, non solo di vedere il Papa, ma anche e specialmente di ascoltare una sua parola, quasi a titolo di esperimento (cp. ● Lc. 2, 15): vediamo un po' che cosa il Papa ci può dire per nostra istruzione e per nostro conforto. Nel mondo in cui siamo il frastuono di voci che vorrebbero captare la nostra attenzione che non è facile capire quali siano le voci degne d'essere veramente ascoltate, e fra quelle ascoltate (mediante la radio, mediante la stampa, mediante la scuola, mediante la convivenza sociale, ecc.) non è facile distinguere le voci che arrivano ad un cittadino del mondo per divertirlo, per informarlo, o per istruirlo. Quali sono le voci che ci obbligano ad ascoltarle quali sono quelle che meritano, o pretendono d'essere da noi non solo conosciute, per esempio, le voci della cultura, ma che esigono da noi d'essere prese come guida

del nostro pensiero e soprattutto d'essere guida della nostra vita. Queste voci dominanti nella nostra vita le chiamiamo le nostre idee. Ciascuno ha le proprie idee, e sono queste che classificano la gente che pensa e che ne determinano il modo di agire.

Tutti sappiamo come oggi il campo delle idee sia invaso da una quantità di idee, che possono giovare alla cultura e all'attività del mondo sociale, ma che per la molteplicità stessa delle idee, per la loro mutabilità e per la debolezza intrinseca della loro corrispondenza con la verità generano una mentalità sempre problematica e spesso superficiale. L'uomo moderno è assai cresciuto nelle sue conoscenze, ma non sempre nella solidità del suo pensiero, non sempre nella certezza di possedere la verità.

Invece ecco il fatto singolare dell'insegnamento della Chiesa. La Chiesa professa ed insegna una dottrina stabile e sicura. Intanto tutti dobbiamo

ricordare che la Chiesa, prima d'essere maestra, è discepola. Essa insegna, sì, una dottrina sicura, ma insegna una dottrina ch'essa per prima ha dovuto imparare. L'autorità dell'insegnamento della Chiesa non deriva dalla sua propria sapienza, né dal controllo propriamente scientifico e razionale di ciò che ella predica ai suoi fedeli; ma dal fatto che essa annuncia una parola che deriva dal Pensiero trascendente di Dio. È questa la sua forza e la sua luce. Come si chiama questa trasmissione incomparabile del Pensiero, della Parola di Dio? Si chiama la fede.

Su tema di tale importanza e di tale ampiezza, noi ora accenniamo soltanto a tre punti. Il primo è dato dalla natura di questa conoscenza: essa non è contraria alla ragione, ma è superiore alla ragione. Cristo si è fatto maestro nostro per insegnarci Verità, che di per sè superano la nostra capacità d'intelligenza. Solo gli umili le accettano e con vivono in un'atmosfera di

sapienza, d'ordine superiore. Ricordate le parole del Vangelo : riportare la
citazione del Vangelo (S. Matteo, 11, 25).

Il secondo punto riguarda la necessità di avere e di professare la fede:
"Senza la fede, è scritto nella lettera agli Ebrei, è impossibile piacere a Dio "(Hebr.
11, 6). E quante volte nel Vangelo si fa l'apologia della fede, che il Signore trova
scarsa perfino nei suoi discepoli : "Uomo di poca fede, dice il Signore a
Pietro che stava per affogare, perché hai dubitato ?" (Mt. 14, 31, e lo riporta a
galla.

Il terzo punto è un campo immenso di esperienza spirituale: ce lo ricorda San
Paolo : "la fede opera mediante la carità" (Gal. 5, 6). Il che vuol dire che
nella fede troveremo la pienezza della vita cristiana ; ci troveremo la
fortezza, la gioia, il conforto della vita divina a noi comunicata.

Così sia per noi ! con la nostra benedizione apostolica.

Paulus PP. VI

FIGLI E FRATELLI CARISSIMI.

Noi pensiamo che un desiderio molto bello vi abbia spinto a questo incontro, una curiosità molto nobile vi abbia suggerito di venire a questa non facile opportunità, non solo di vedere il Papa, ma anche e specialmente di ascoltare una sua parola, quasi a titolo di esperimento: vediamo un po' che cosa il Papa ci può dire per nostra istruzione e per nostro conforto. Nel mondo in cui siamo, il frastuono di voci che vorrebbero captare la nostra attenzione è tale che non è facile capire quali siano le voci degne d'essere veramente ascoltate, e fra quelle ascoltate (mediante la radio, mediante la stampa, mediante la scuola, mediante la convivenza sociale, ecc.) non è facile distinguere le voci che arrivano ad un cittadino del mondo per divertirlo, per informarlo, o per istruirlo. Quali sono le voci che ci obbligano ad ascoltarle, quali sono quelle che meritano, o pretendono d'essere da noi non solo conosciute, per esempio, le voci della cultura, ma che esigono da noi d'essere prese come guida del nostro pensiero e sopratutto d'essere guida della nostra vita? Queste voci dominanti nella nostra vita le chiamiamo le nostre idee, e sono queste che classificano la gente che pensa e che ne determinano il modo di agire.

Tutti sappiamo come oggi questo campo sia invaso

da una quantità di idee, che possono giovare alla cultura, o all'attività del mondo sociale, ma che per la loro stessa molteplicità, per la loro mutabilità e per la debolezza intrinseca della loro corrispondenza con la verità generano una mentalità sempre problematica e spesso superficiale. L'uomo moderno è assai cresciuto nelle sue conoscenze, ma non sempre nella solidità del suo pensiero, non sempre nella certezza di possedere la verità. Invece ecco il fatto singolare dell'insegnamento della Chiesa.

La Chiesa professa ed insegna una dottrina stabile e sicura. Intanto tutti dobbiamo ricordare che la Chiesa, prima d'essere maestra, è discepola. Essa insegna una dottrina sicura, ma insegna una dottrina ch'essa per prima ha dovuto imparare. L'autorità dell'insegnamento della Chiesa non deriva dalla sua propria sapienza, nè dal controllo propriamente scientifico e razionale di ciò che ella predica ai suoi fedeli; ma dal fatto che essa annuncia una parola che deriva dal Pensiero trascendente di Dio. È questa la sua forza e la sua luce. Come si chiama questa trasmissione incomparabile del Pensiero, della Parola di Dio? Si chiama la fede.

Su tema di tale importanza e di tale ampiezza, noi ora accenniamo soltanto a tre punti.

Il primo è dato dalla natura di questa conoscenza: essa non è contraria alla ragione. ma è superiore alla ragione. Cristo si è fatto maestro nostro per insegnarci Verità, che di per sè superano la nostra capacità d'intelligenza. Solo gli umili le accettano e così vivono in un'atmosfera di sapienza, d'ordine superiore. Ricordate le parole del Vangelo: "Ti benedico, o Padre, Signore del cielo e della terra, perchè hai tenuto nascoste queste cose ai sapienti e agli intelligenti e le hai rivelate ai piccoli".

Il secondo punto riguarda la necessità di avere e di professare la fede: "Senza la fede – è scritto nella lettera agli Ebrei – è impossibile piacere a Dio". E quante volte nel Vangelo si fa l'apologia della fede, che il Signore trova scarsa perfino nei suoi discepoli: "Uomo di poca fede – dice il Signore a Pietro che stava per affogare – perchè hai dubitato?", e lo riporta a galla.

Il terzo punto è un campo immenso di esperienza spirituale: ce lo ricorda San Paolo: "La fede opera mediante la carità". Il che vuol dire che nella fede troveremo la pienezza della vita cristiana; vi troveremo la fortezza, la gioia, il conforto della vita divina a noi comunicata.

Così sia per noi! Con la nostra Benedizione Apostolica.

PAULUS P.P. VI

TESTO DELL'ULTIMO DISCORSO
PRONUNCIATO DA PAOLO VI IL 2 AGOSTO 1978,
DI CUI È STATO QUI RIPRODOTTO
ANCHE IL MANOSCRITTO.

EPISODI DELLA VITA DI GESÙ

MINIATURE DEL XII E XIII SECOLO

ANNUNCIAZIONE – "Epistolario" di Giovanni da Gaibana. Miniatura di Scuola Padovana, Secolo XIII – Padova, Biblioteca Capitolare.

VISITAZIONE – Manoscritto religioso – Miniatura di Scuola Bizantina, Secolo XII – Londra, British Museum.

NATIVITÀ – "Epistolario" di Giovanni da Gaibana – Miniatura di Scuola Padovana, Secolo XIII – Padova, Biblioteca Capitolare.

ANNUNCIO AI PASTORI – "Salterio" – Miniatura di Scuola Inglese, Secolo XII – Copenaghen, Biblioteca Reale.

ADORAZIONE DEI MAGI – "Epistolario" di Giovanni da Gaibana – Miniatura di Scuola Padovana, Secolo XIII – Padova, Biblioteca Capitolare.

PRESENTAZIONE AL TEMPIO – Manoscritto religioso – Miniatura di Scuola Bizantina, Secolo XII – Londra, British Museum.

RISURREZIONE DI LAZZARO – Manoscritto religioso – Miniatura di Scuola Bizantina, Secolo XII – Londra, British Museum.

ENTRATA DI GESÙ IN GERUSALEMME – "Salterio" – Miniatura di Scuola Bolognese, Secolo XIII – Bologna, Biblioteca Universitaria.

CROCIFISSIONE DI GESÙ – Manoscritto religioso – Miniatura di Scuola Bizantina, Secolo XIII – Londra, British Museum.

DEPOSIZIONE – Manoscritto religioso – Miniatura di Scuola Bizantina, Secolo XII – Londra, British Museum.

RISURREZIONE – "Epistolario" di Giovanni da Gaibana – Miniatura di Scuola Padovana, Secolo XIII – Padova, Biblioteca Capitolare.

PENTECOSTE – "Epistolario" di Giovanni da Gaibana – Miniatura di Scuola Padovana, Secolo XIII – Padova, Biblioteca Capitolare.

In copertina – LA TRASFIGURAZIONE – Libro d'Ore, Messale – Miniatura Lombarda, Anno 1380 – Parigi, Biblioteca Nazionale.

FINITO DI STAMPARE IL 6 AGOSTO 1980
DALLE INDUSTRIE GRAFICE VERA
MILANO